清康熙四十年本

芥子園畫譜

第二集 卷四 金陵沈心友刊

青在堂畫菊淺說

畫法源流

菊之設色多端。賦形不一。非鈎勒渲染交善。不能寫肖也。考宣和畫譜。宋之黃筌、趙昌、徐熙、滕昌祐、丘慶餘、黃居寶、諸名手。皆有寒菊圖。迄南宋元明。始有文人逸士、慕其幽芳。寄興筆墨。不因脂粉。愈見清高。故趙彝齋、李昭、柯丹丘、王若木、盛雪篷、朱樗仙、俱善寫墨菊。更覺傲霜凌秋之氣。含之胸中。出之腕下。不在色相求之矣。予爲芥子園所編定四譜。湘畹幽芳。繼以淇園清節。則楚騷衛風。並稱君子。南枝寒蕊。伴以東籬晚香。則孤山栗里。同愛高人。眞花木中之超羣絶俗者。爲類已備。四時之氣。作譜當凌衆卉之先。不亦宜乎。

畫菊全法

菊之爲花也。其性傲。其色佳。其香晚。畫之者。當胸具全體。方能寫其幽致。全體之致。花須低昂而不繁。葉須掩映而不亂。枝須穿插而不雜。根須交加而不比。此其大略也。若進而求之。即一枝、一葉、一花、一蕊、不須各得其致。菊雖草本。有傲霜之姿。而與松並稱則枝宜孤勁。異於春花之和柔。葉宜肥潤。異于殘卉之枯槁。花與蕊宜含放相兼。枝頭得偃仰之理。以全放枝重宜偃。花蕊枝輕宜仰。仰者不可過直。偃者不可過垂。此言全體之法。至其花蕚枝葉根株。另具畫法于後。

畫花法

花頭不同。以瓣有尖團長短稀密濶窄巨細之異。更有兩乂三岐鉅齒缺瓣。刺瓣捲瓣。折瓣。變幻不一。大

凡長瓣稀瓣花。平如鏡者。則有心。其心或堆金粟或簇蜂窠若細瓣短瓣四面高圓攢起如球者。則無心雖花瓣各殊。衆瓣皆由蒂出。稀者須排列根下與蒂相連。多者須瓣根皆由蒂發。其形自圓。整可觀也。其色不過黃紫紅白淡綠諸種。中濃外淡。加以深淺間雜。則設色無窮。若用粉染瓣筋。仍宜粉鈎。在學者自能意會得之矣

畫蕾蔕法

畫花頭如畫蕾。花蕾。或半放初放將放未放放各不

同半放側形見蒂嫩蕊攢心須具全花未舒之勢初放則翠苞始破小瓣乍舒如雀舌吐香握拳伸指將放則蕚尚含香瓣先露色未放則蕊珠團碧衆星綴枝當各得其致爲妙畫蕾須知生蒂花頭雖別其蒂皆同得疊翠多層與衆卉異渾圓未放雖係各色之花宜苞蕾盡綠若將放方可少露本色也夫菊之逞姿發艷在于花而花之蕾氣含香又在乎蕾蕾之生枝吐瓣更在乎蒂此理不可不知故畫花法更加以蕾蒂也

畫葉法

菊葉亦有尖圓長短濶窄肥瘦之不同然五岐而四缺最難描寫恐葉葉相同似乎印板須用反正捲折法葉面爲正背爲反正面之下見反葉爲折反面之上露正葉爲捲畫葉得此四法加以掩映鈎筋自不雷同而多致更須知花頭下所襯之葉宜肥大而色深潤以力盡具于此枝上新葉宜柔嫩帶輕清之色根下墜葉宜蒼老帶枯焦之色正葉色宜深反葉色宜淡則菊葉之全法具矣

畫根枝法

花須掩葉。葉宜掩枝。菊之根枝。先于未畫花葉時朽定。候花葉完後。始爲畫出。根枝已具。再添花葉。方是花葉四面根枝中藏也。若不先爲朽定。則生葉生枝全無定向。若不畫成添補。則偏花偏葉俱在前邊。本枝宜勁。傍枝宜嫩。根下宜老。更要柔不似藤。勁不類刺。偃而不垂。有迎風向日之姿。仰而不直。有帶露避霜之勢。花蕾枝葉根株交善。則得全菊之致矣。縱兹小技。豈易言哉。

畫菊訣

時在深秋。菊稱傲霜。欲寫其致。筆勢昂藏。中央正色。所貴者黃。春花柔艷。何敢比方。圖成紙上。如對晚香。

畫花訣

畫菊之法。瓣有尖圓。花分正側。位具後先。側者半體。正則形圓。將開吐蕊。未放星攢。加以蒂蕚。乃生枝焉。

畫枝訣

既畫花朶。下必添枝。枝須斷續。補葉方宜。或偃或直。或高或低。直勿過仰。偃勿太垂。偃仰得勢。花葉生姿。

畫葉訣

畫葉之法必由花生五岐四缺反正分明葉承花下。花乃有情稀處補枝密處綴英花葉交善方合乎根。

畫根訣

畫根之法上應枝梢。勢須蒼老。意在孤高。直不似艾。亂不似蒿。根下添草。掩映清標。再加泉石。取致更饒。

畫菊諸忌訣

筆宜清高最怕粗惡。葉少花多。枝強幹弱。花不應枝。葉不由蒂。筆笨色枯。渾無生趣。知斯數者尤所深忌。

畫花頭式

平頂長瓣花

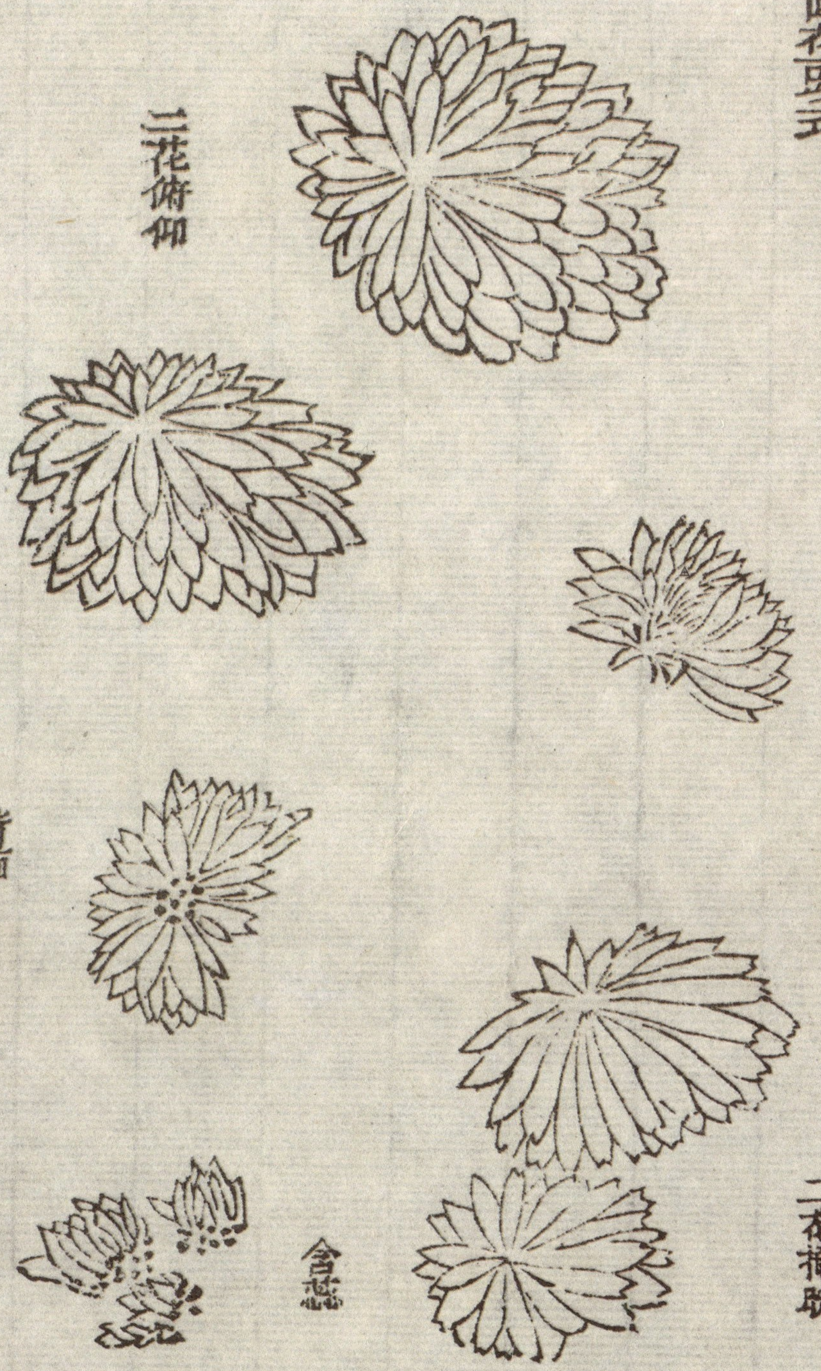

高頂攢瓣花

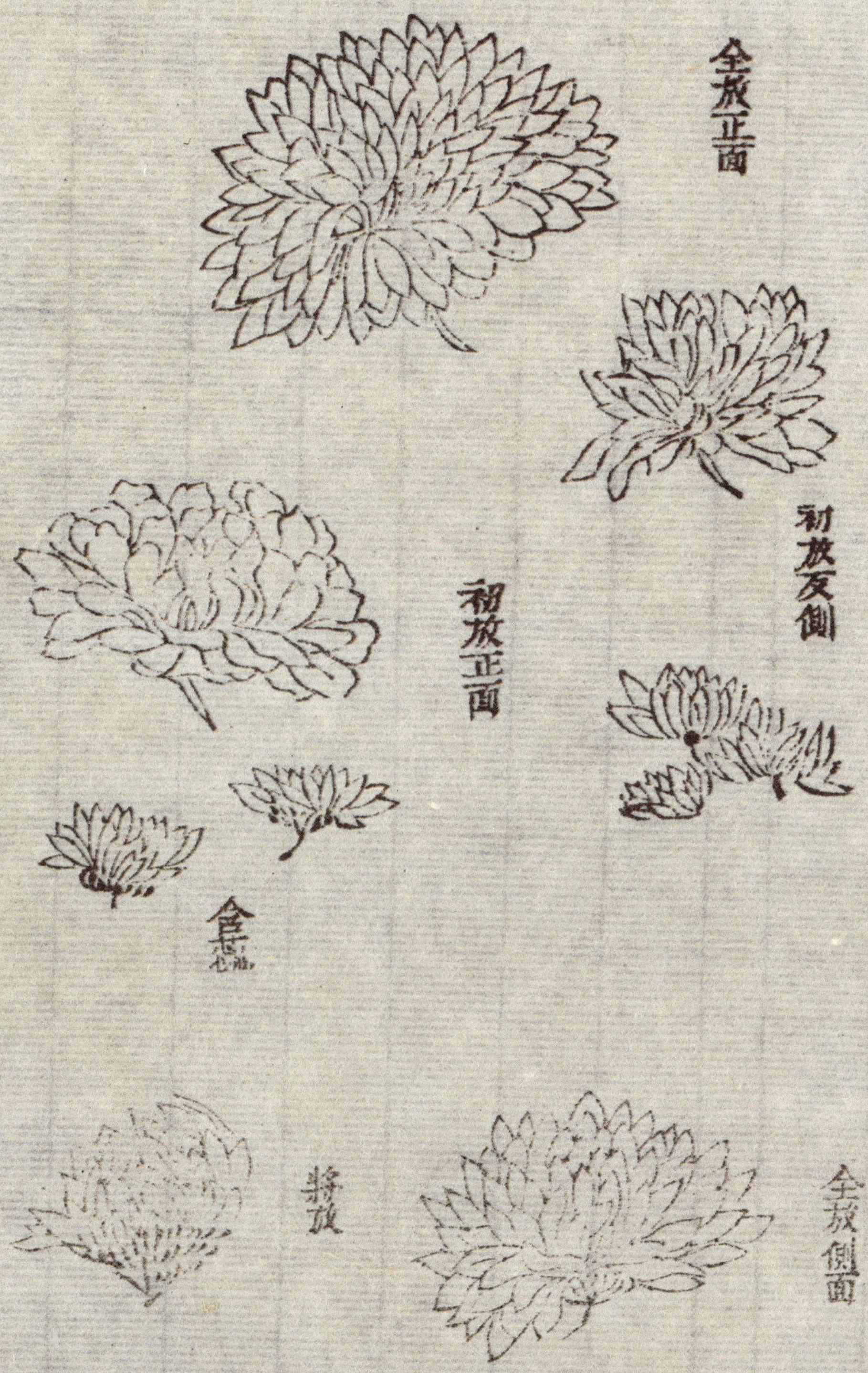

攢頂尖瓣花

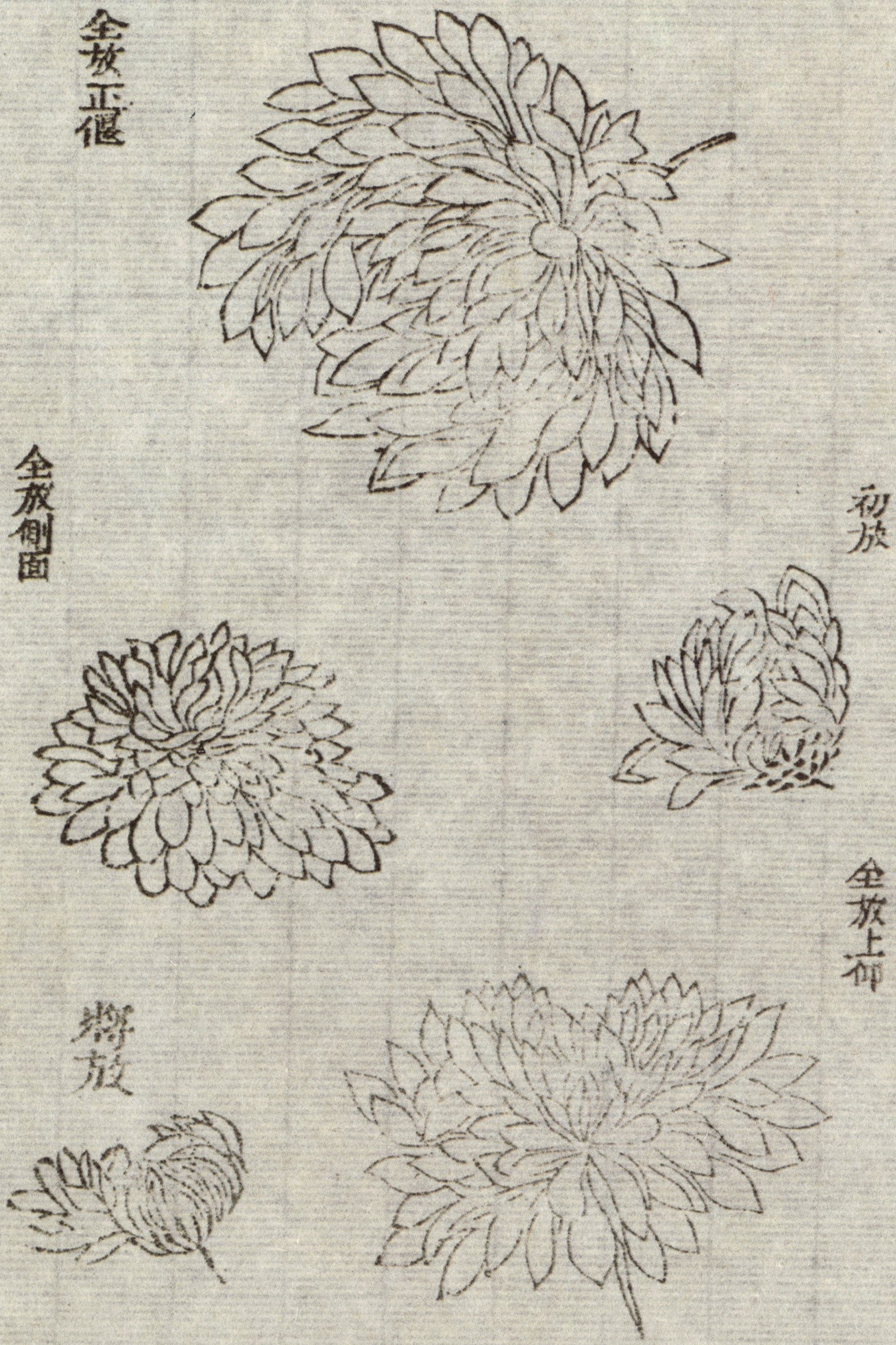

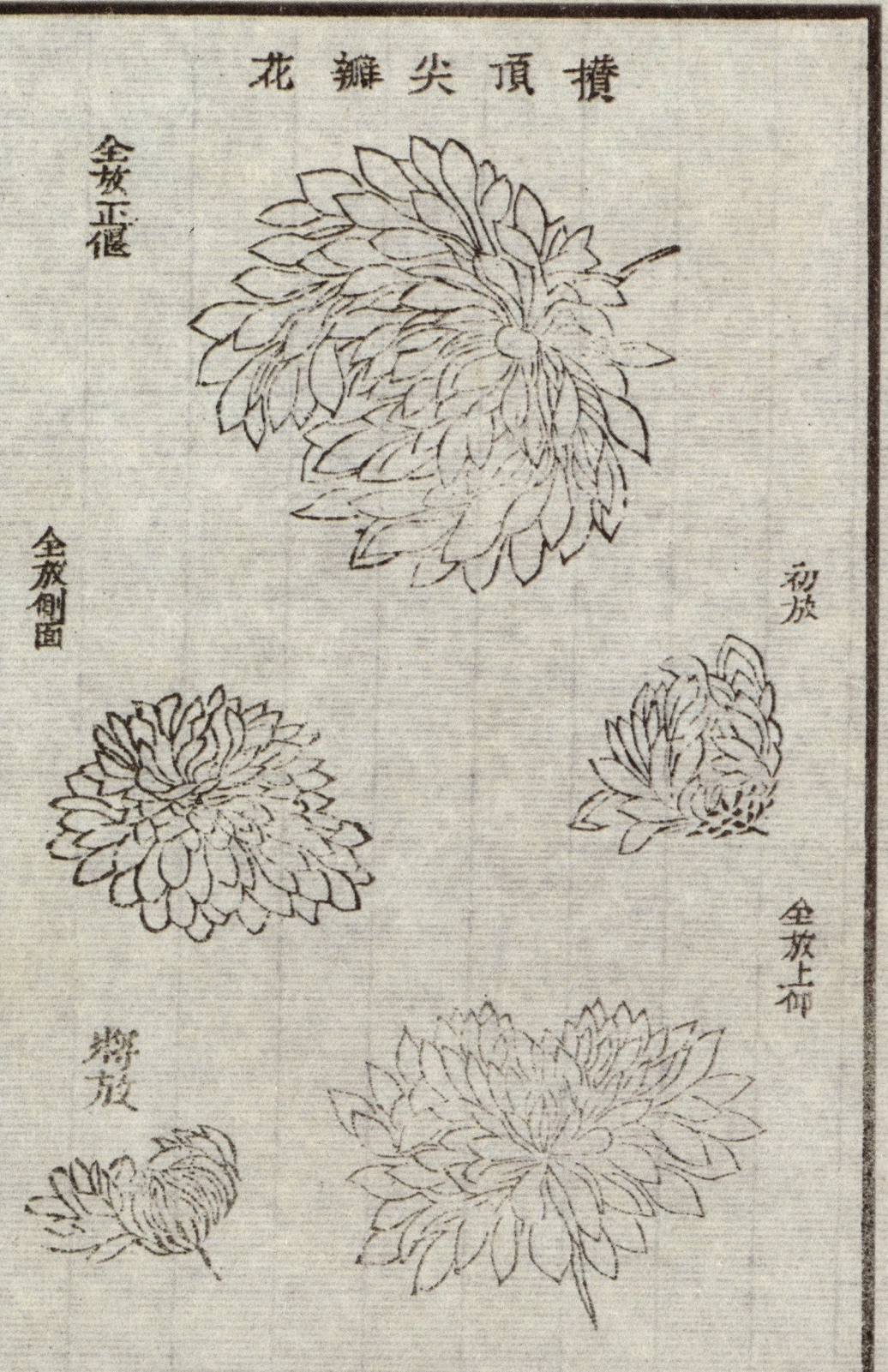

抱心尖瓣花

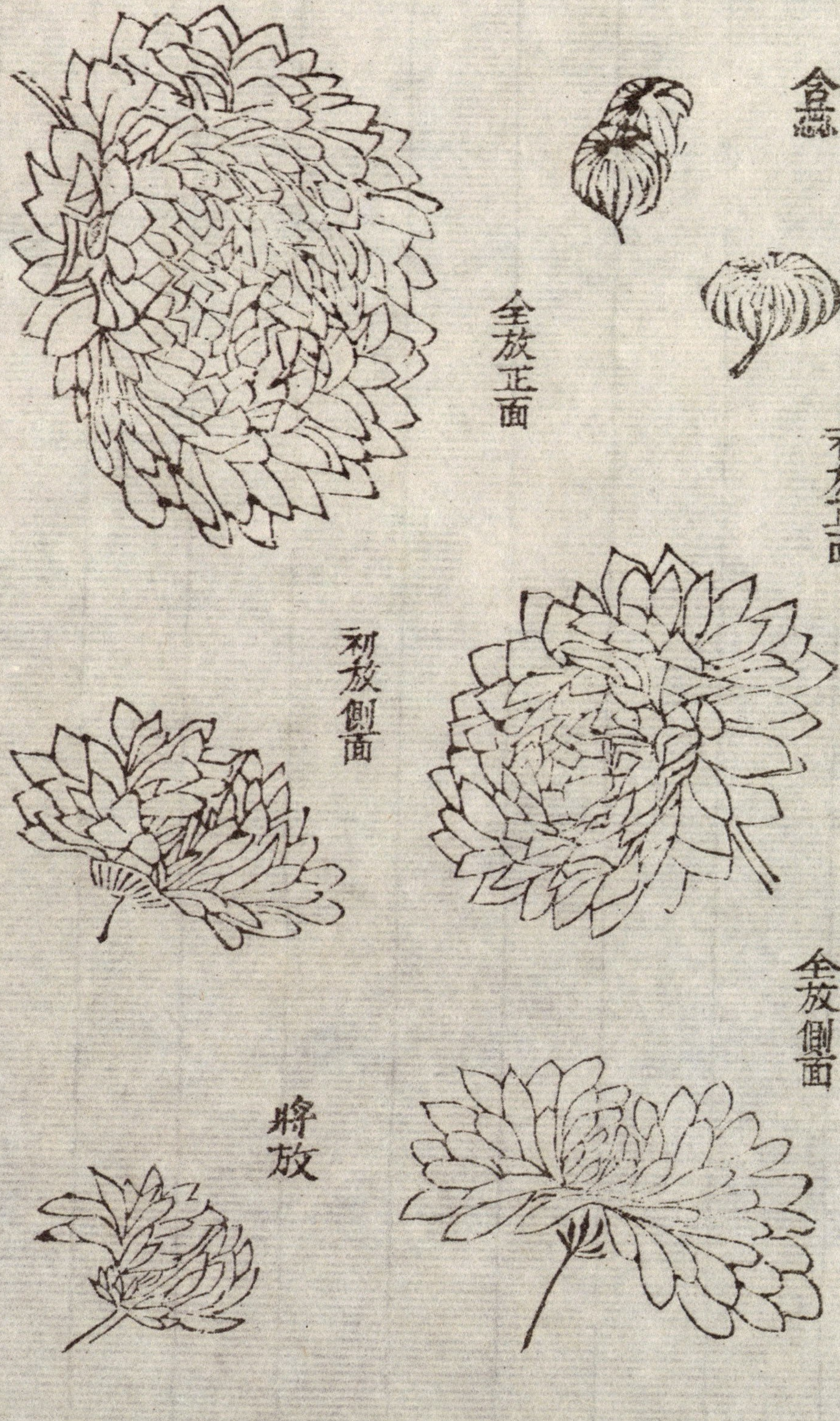

層頂亞瓣花

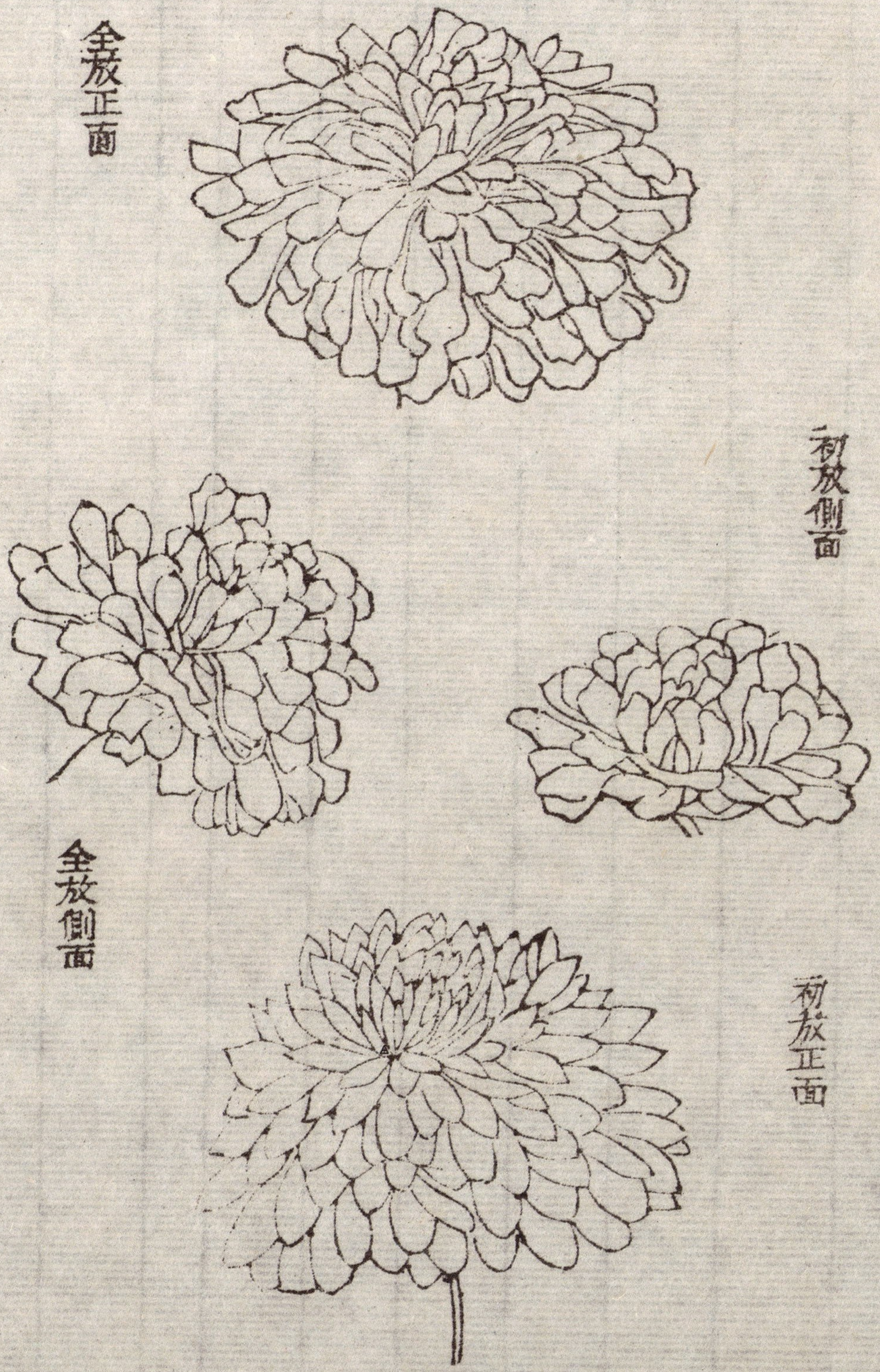

攢心細瓣花

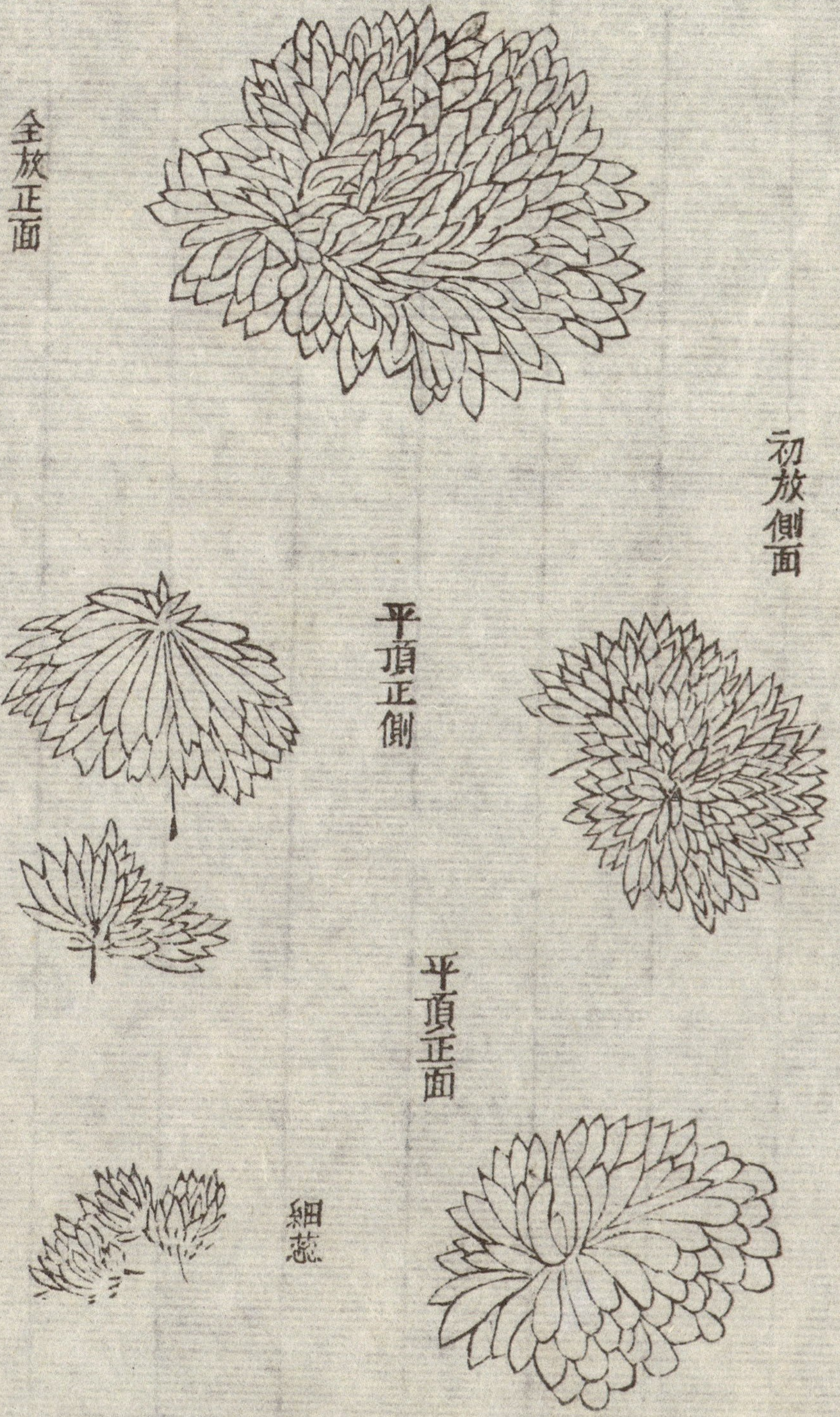
全放正面
初放側面
平頂正側
平頂正面
細蕊

點墨葉式

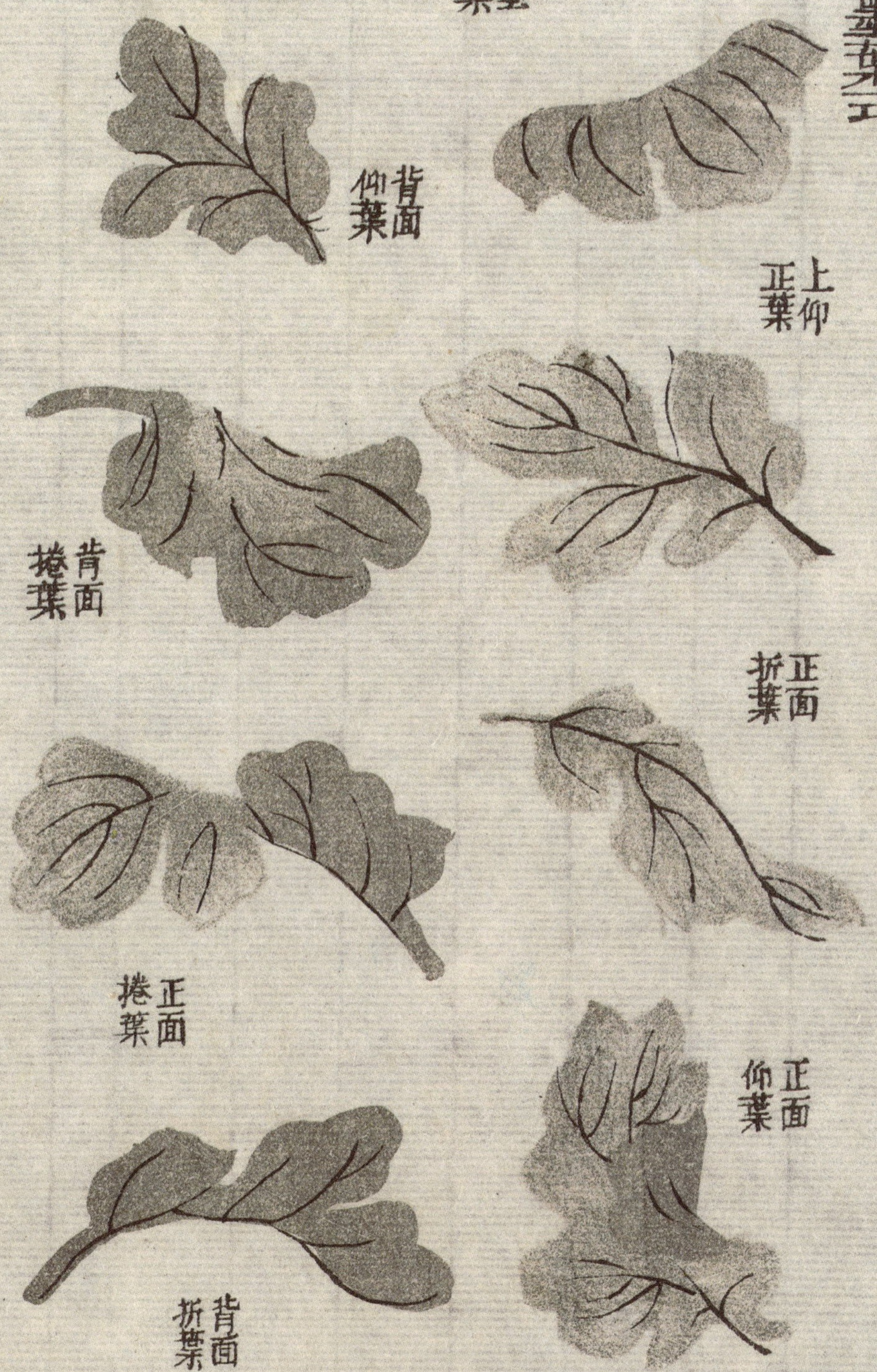
下垂正葉
背面仰葉
上仰正葉
背面捲葉
正面折葉
正面捲葉
正面仰葉
背面折葉

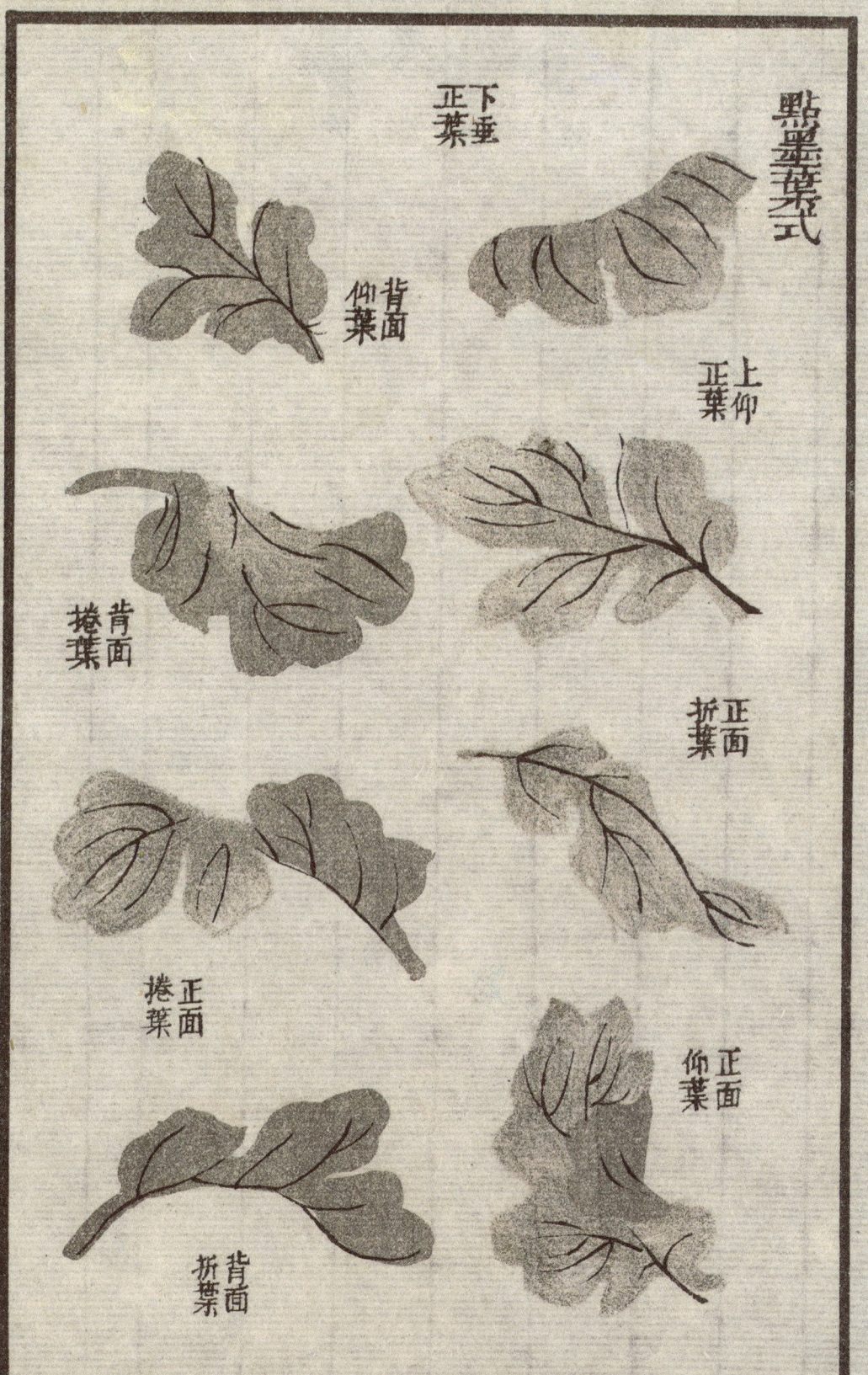

頂上五葉反正
二葉俯仰
根下四葉穿插
三葉交互

鈎勒葉式

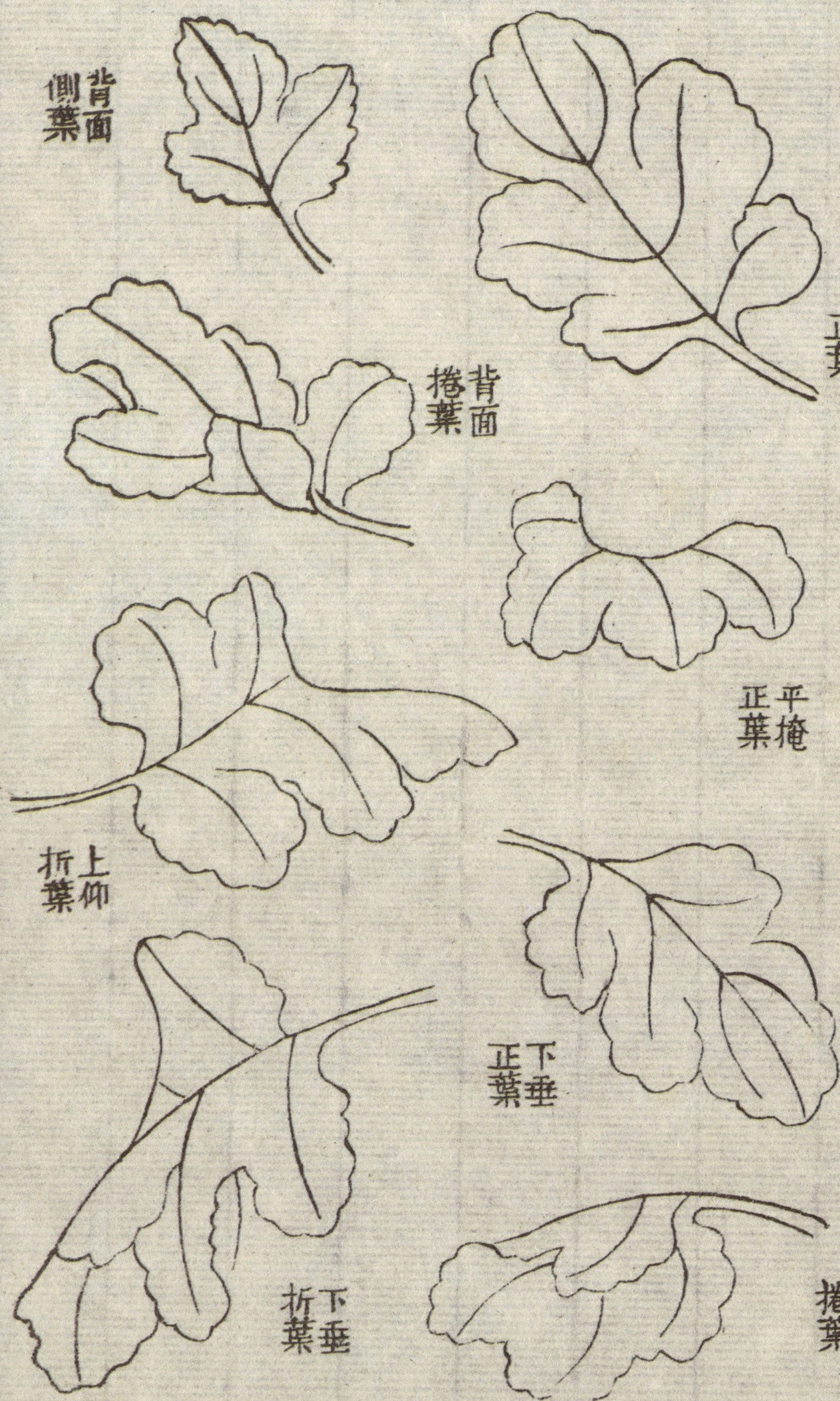
背面側葉
上仰正葉
背面捲葉
平掩正葉
上仰折葉
下垂正葉
下垂折葉
正面捲葉

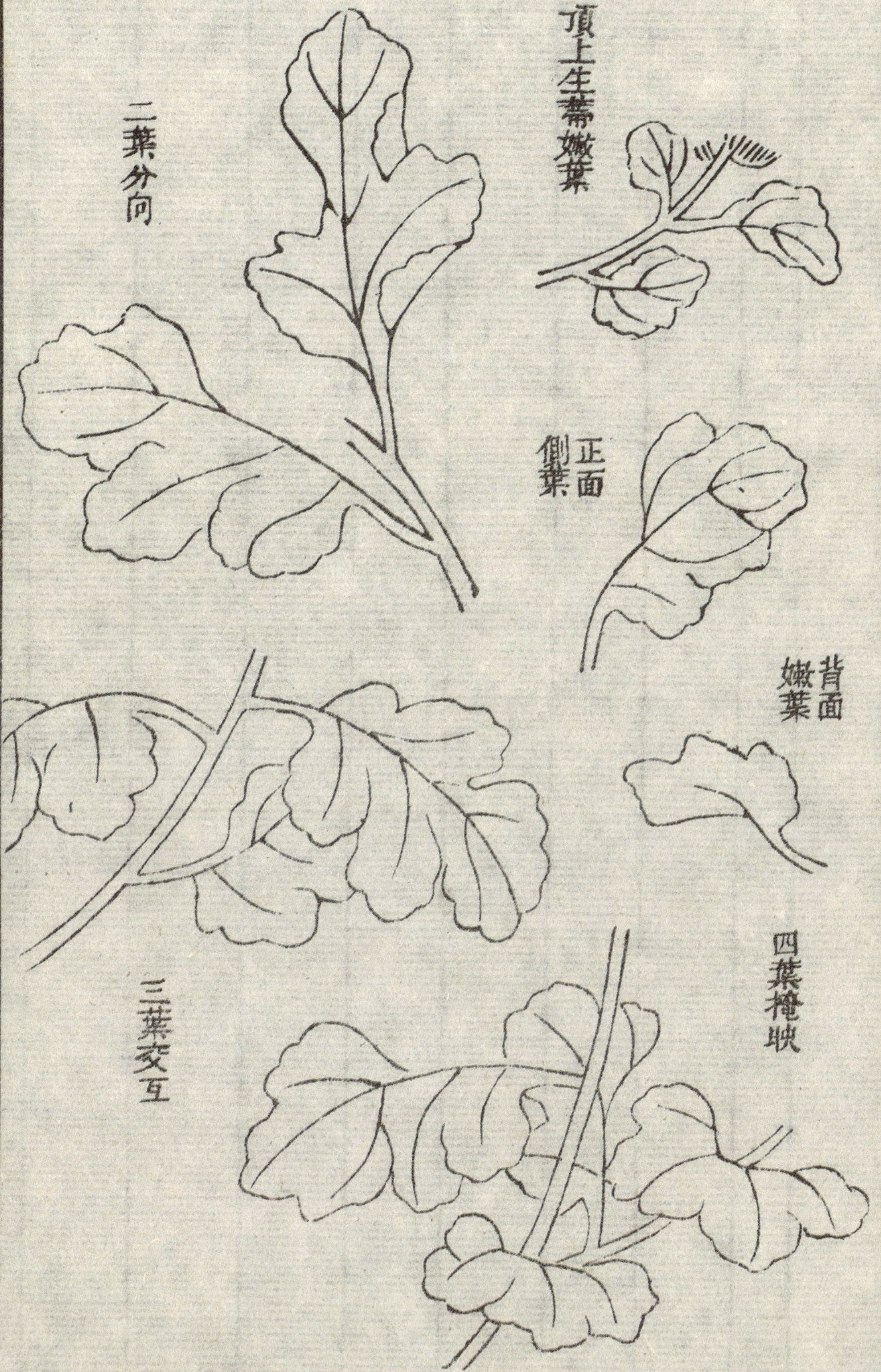
頂上生蒂嫩葉
二葉分向
正面側葉
背面嫩葉
四葉掩映
三葉交互

花頭生枝點葉鉤筋式

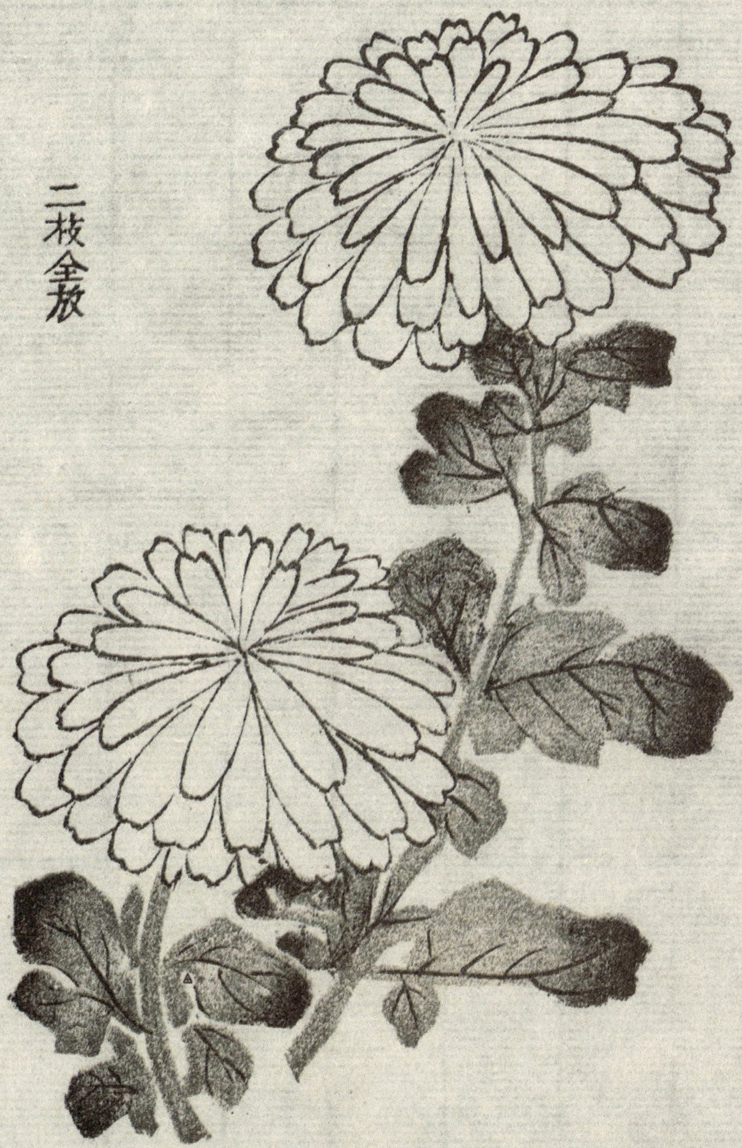
二枝全放

下花細蕊

芥子園畫譜

卷四

三枝花蕊反正

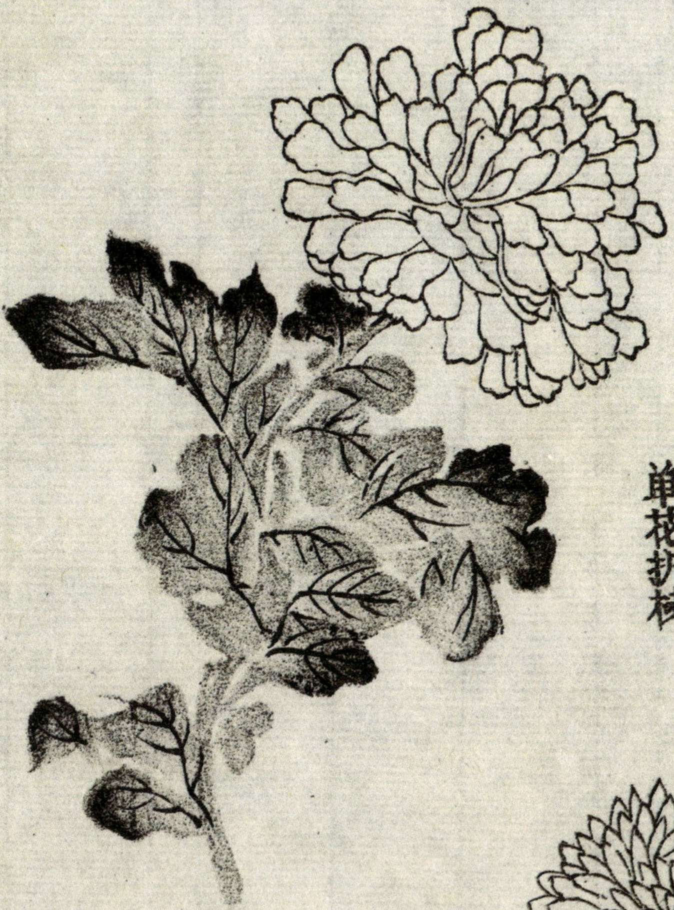
单花折枝

雙頭折枝

花頭短枝

鈎勒花頭枝葉式

大朶單花

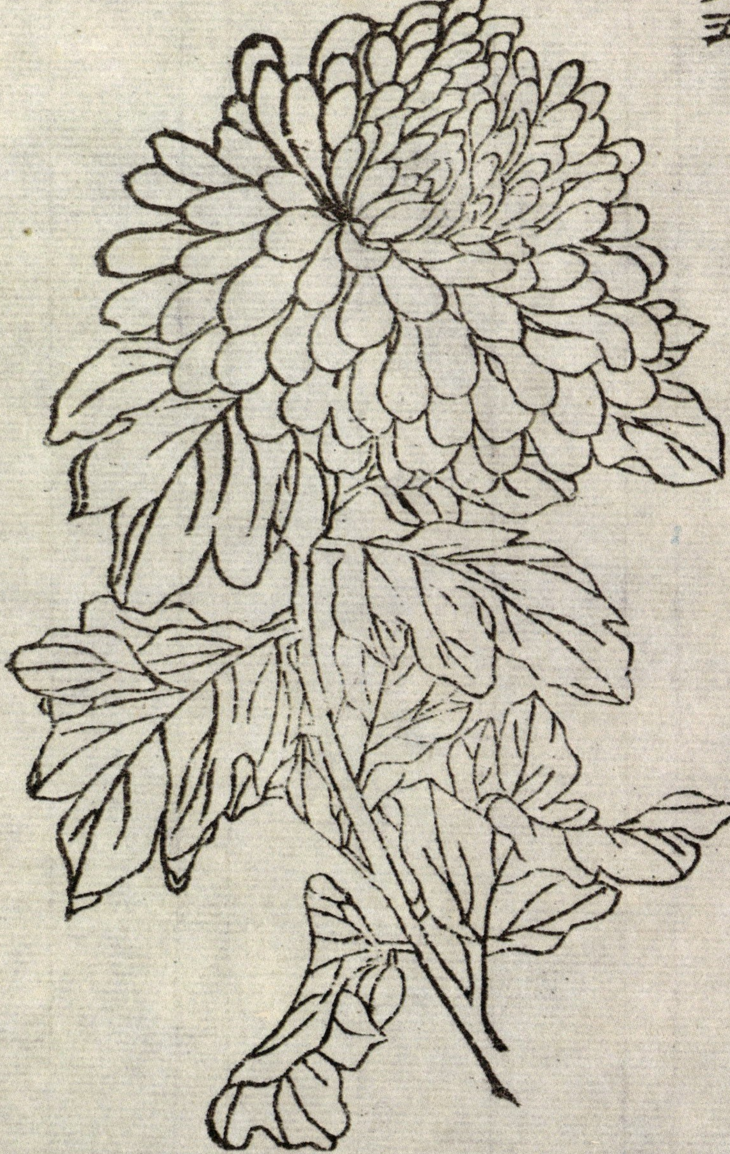

細瓣攢心

碎瓣團球

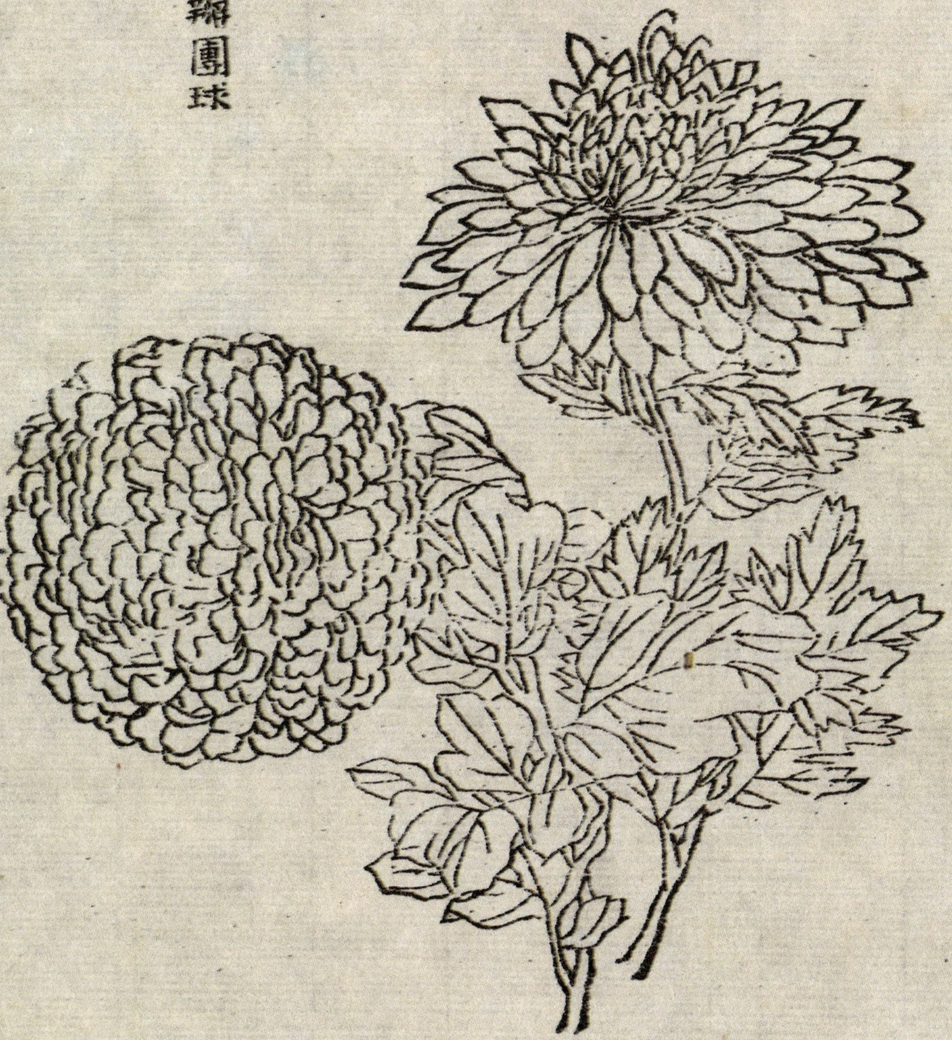

密瓣平頂

尖瓣抱蕊

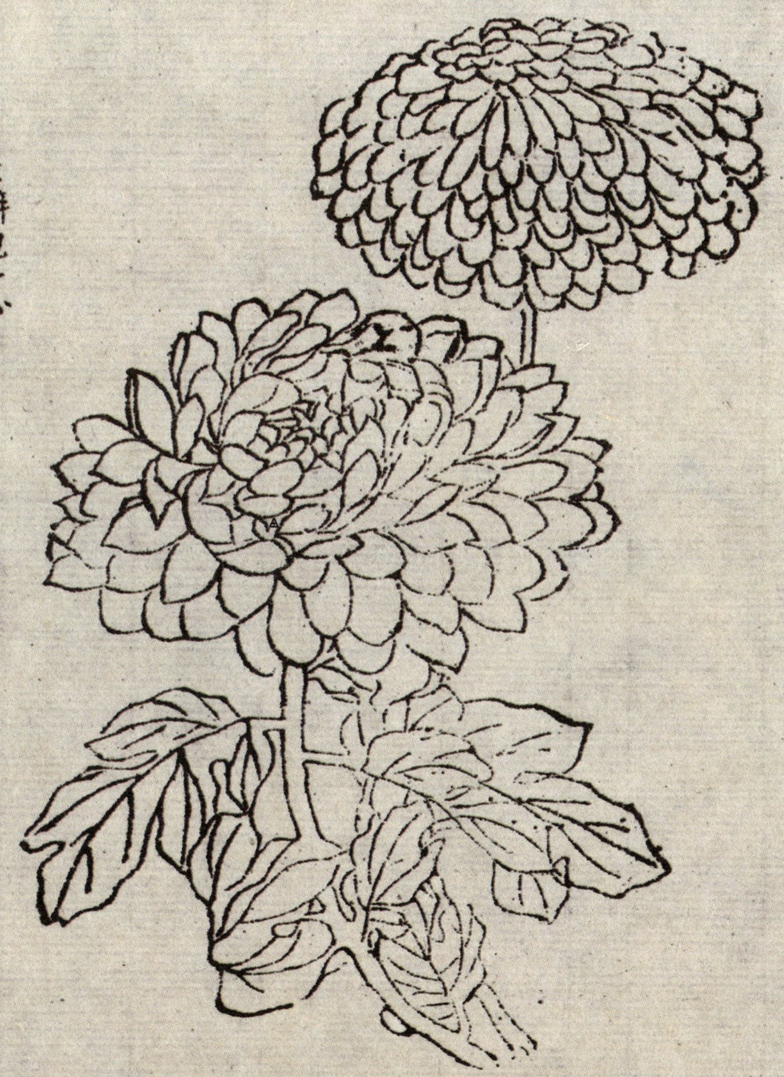

尖瓣花頭

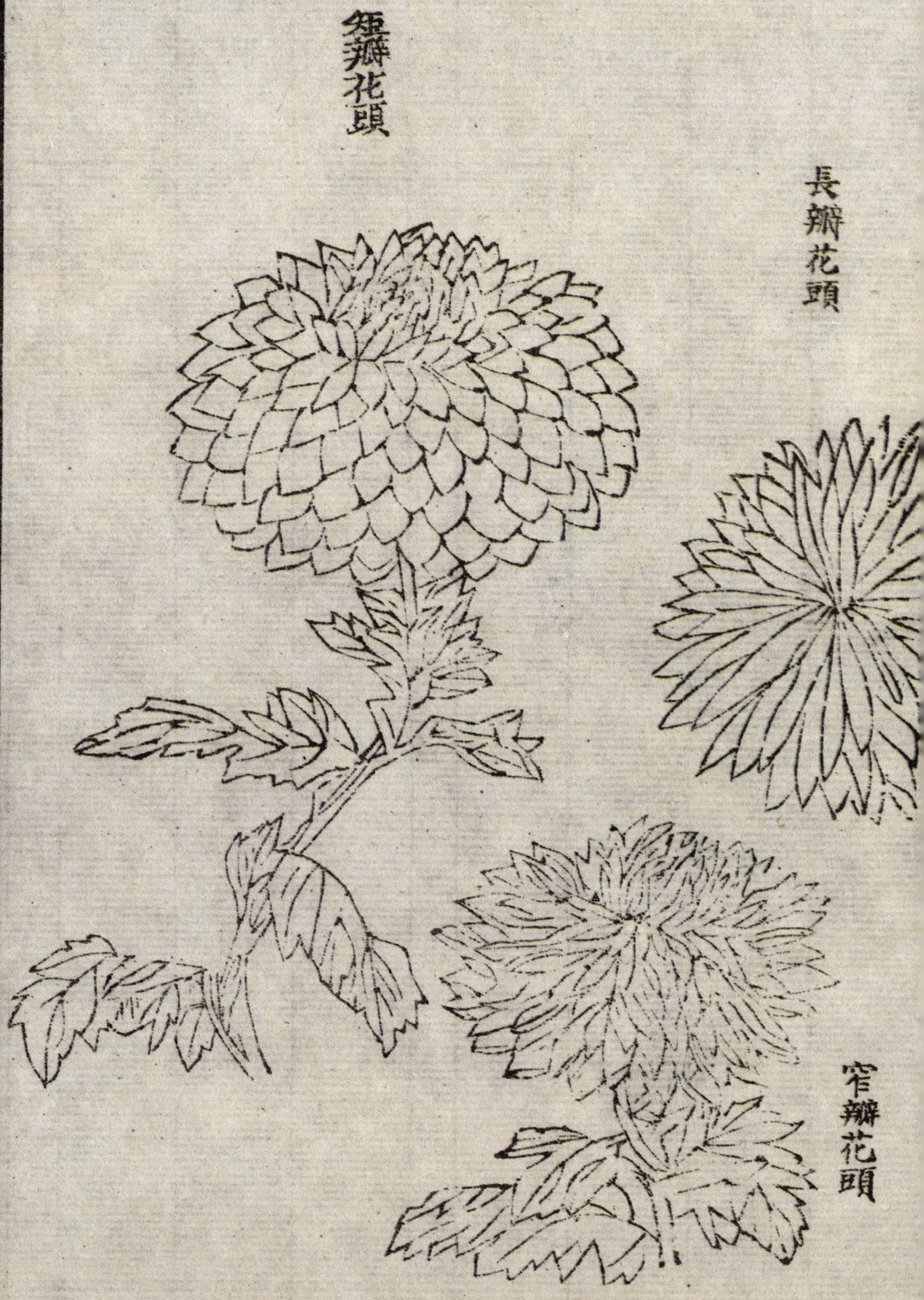
短瓣花頭
長瓣花頭
窄瓣花頭

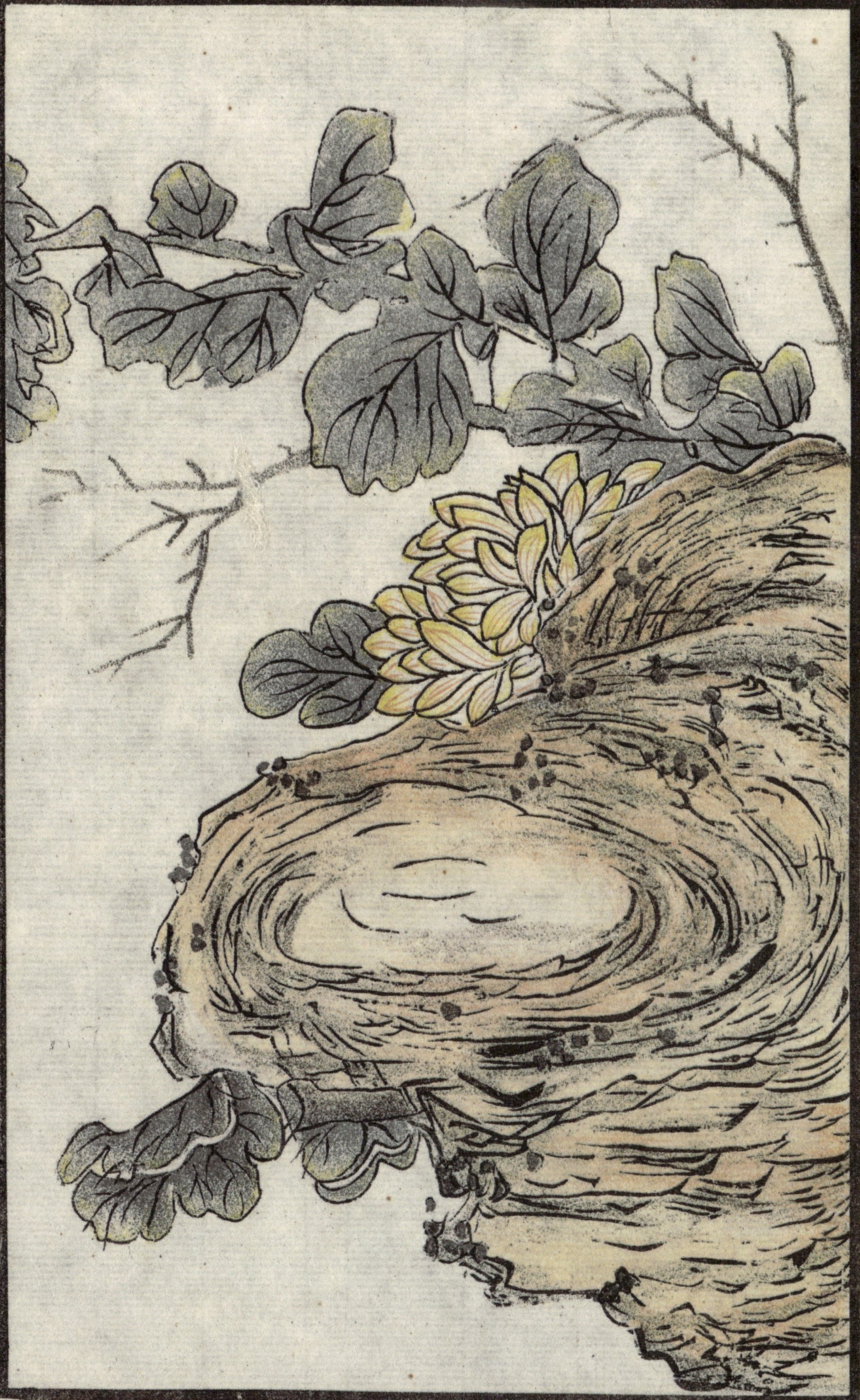

芥子園畫譜　卷四　三二

史正志菊譜云牡丹芍藥俱有譜記獨菊未有為之譜者是時范石湖劉後邨從而譜序之矣但屬花譜非画譜也画無譜故善此者無專家李君實欲為梅竹蘭譜而不及菊後有及之者亦未能區分厥類示以師承予因編定此譜細察花葉種類上稽古人圖繪得其形神以便摹倣按石湖菊譜言其花頭形色已用作圖相傳雖花譜同于画譜則此編雖畫譜亦可補花譜之未及云

辛巳重陽前三日繡水王蓍識

芥子園畫譜 卷四

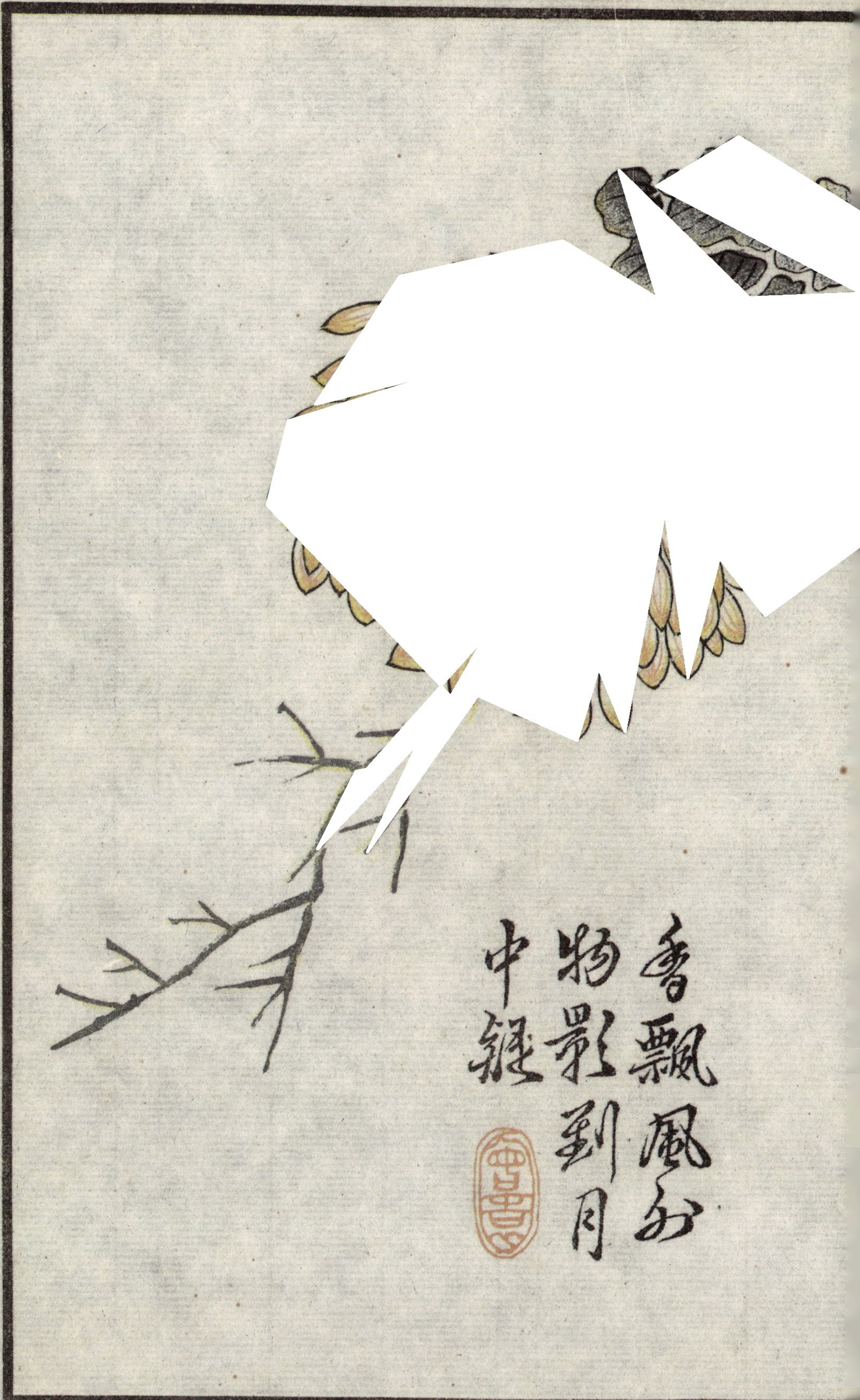
香飄風外
物影到月

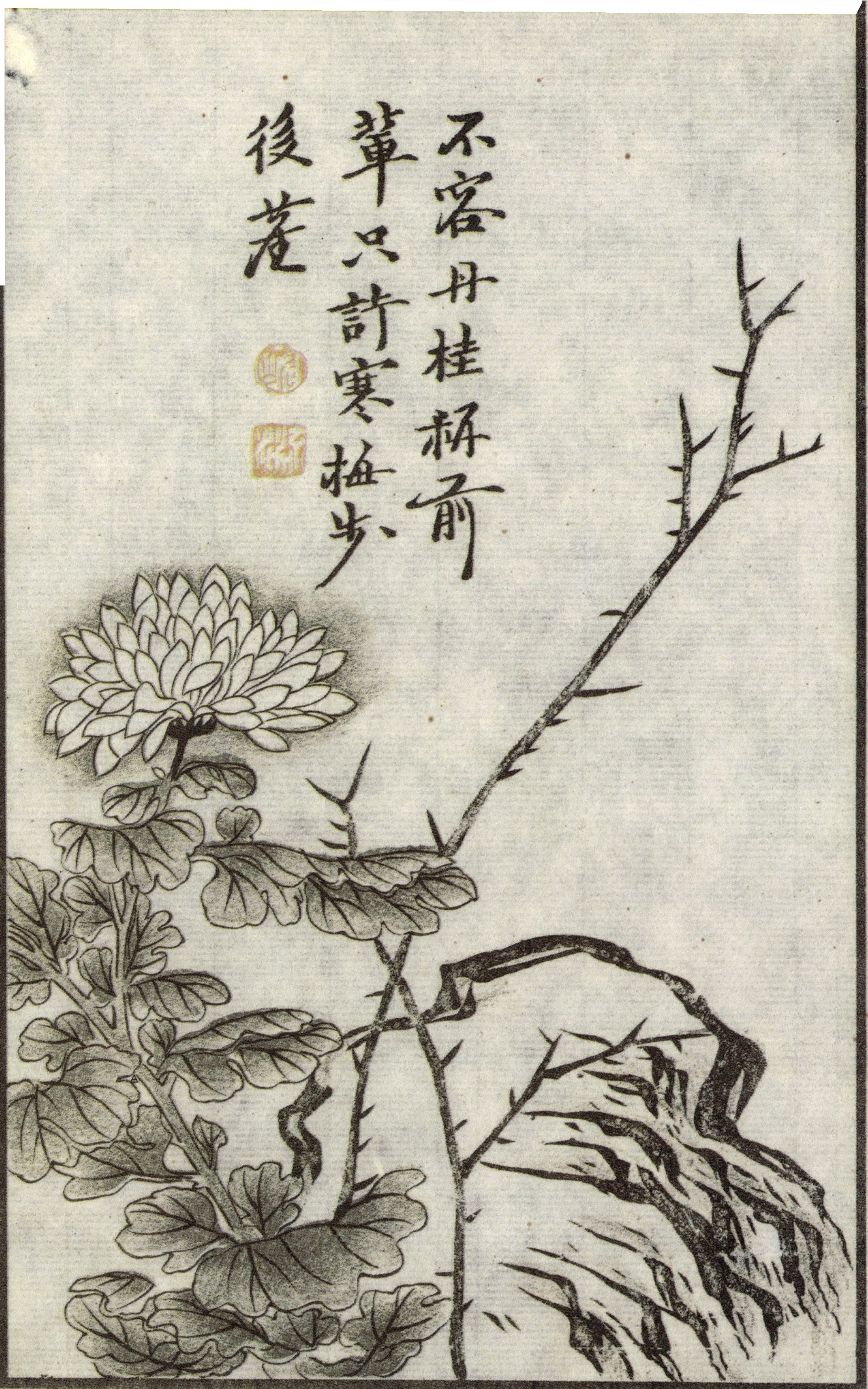
不容丹桂稱前
輩只許寒梅步
後塵

中國傳世畫譜

芥子園畫譜 卷四 三五

芥子園畫譜 卷四 三六

竹葉伴寒翠
霜花洽素心

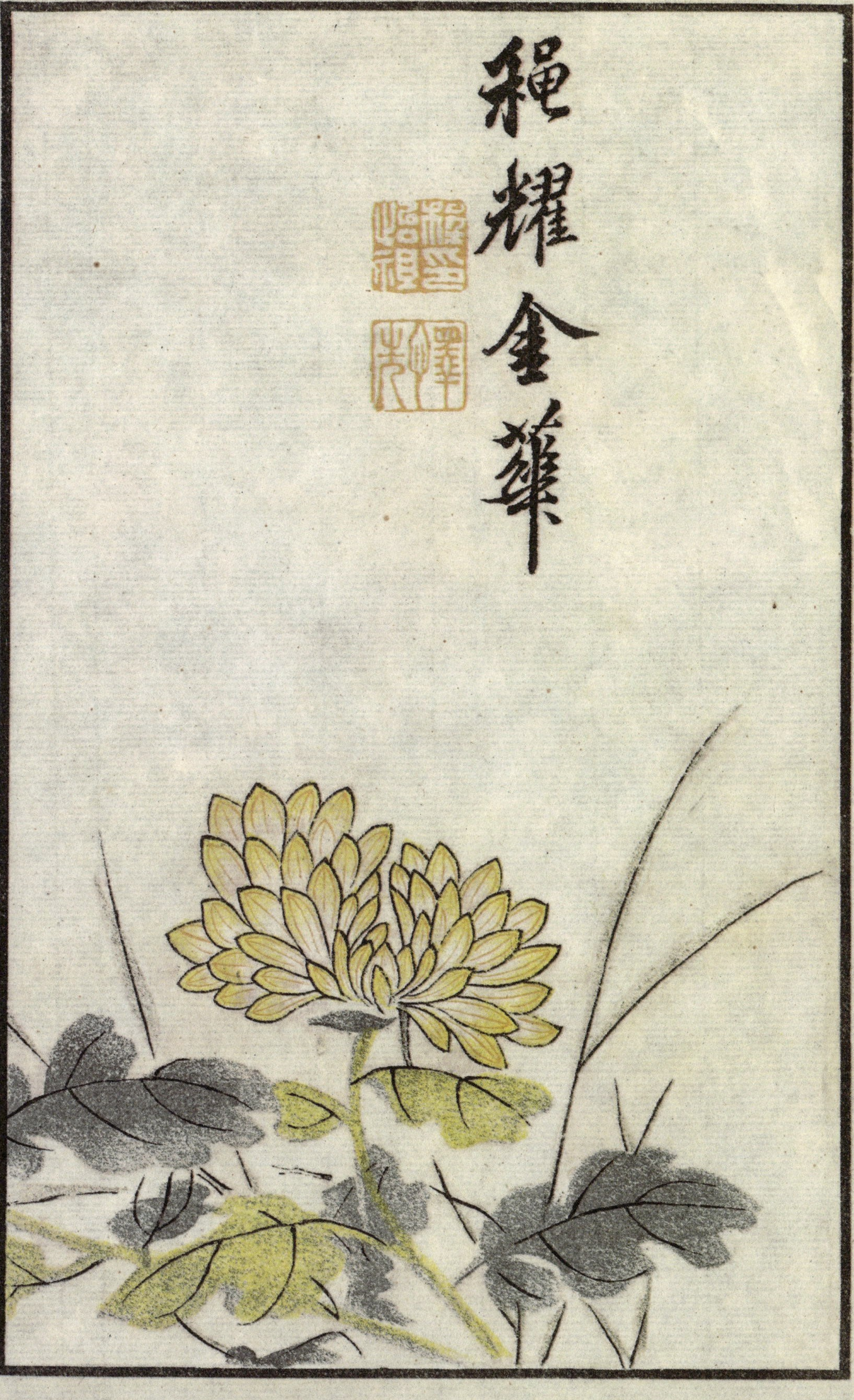
穐耀金華

蜂欲采香疑
是蟻莖難承
露娓為盤盞
心攢出金千
孔衆瓣排成
玉一團

仙人披鶴氅素女不紅粧

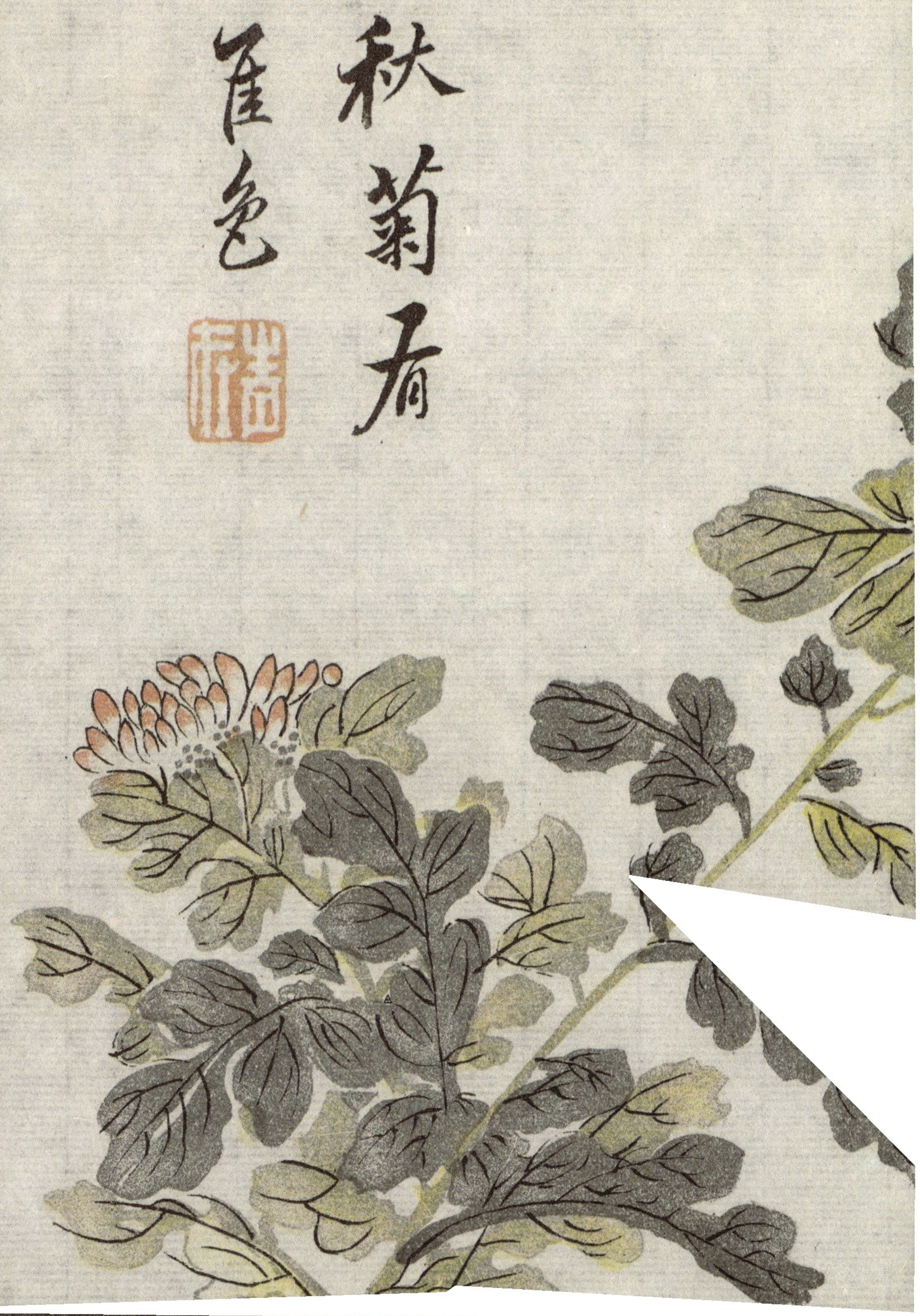
秋菊有
佳色

黃白花繁紫
艷稠三英同
擷泛銀甌

沉醉倚西風

雪栽纖蕊密金
折小苞香千載白
衣酒一生青女霜

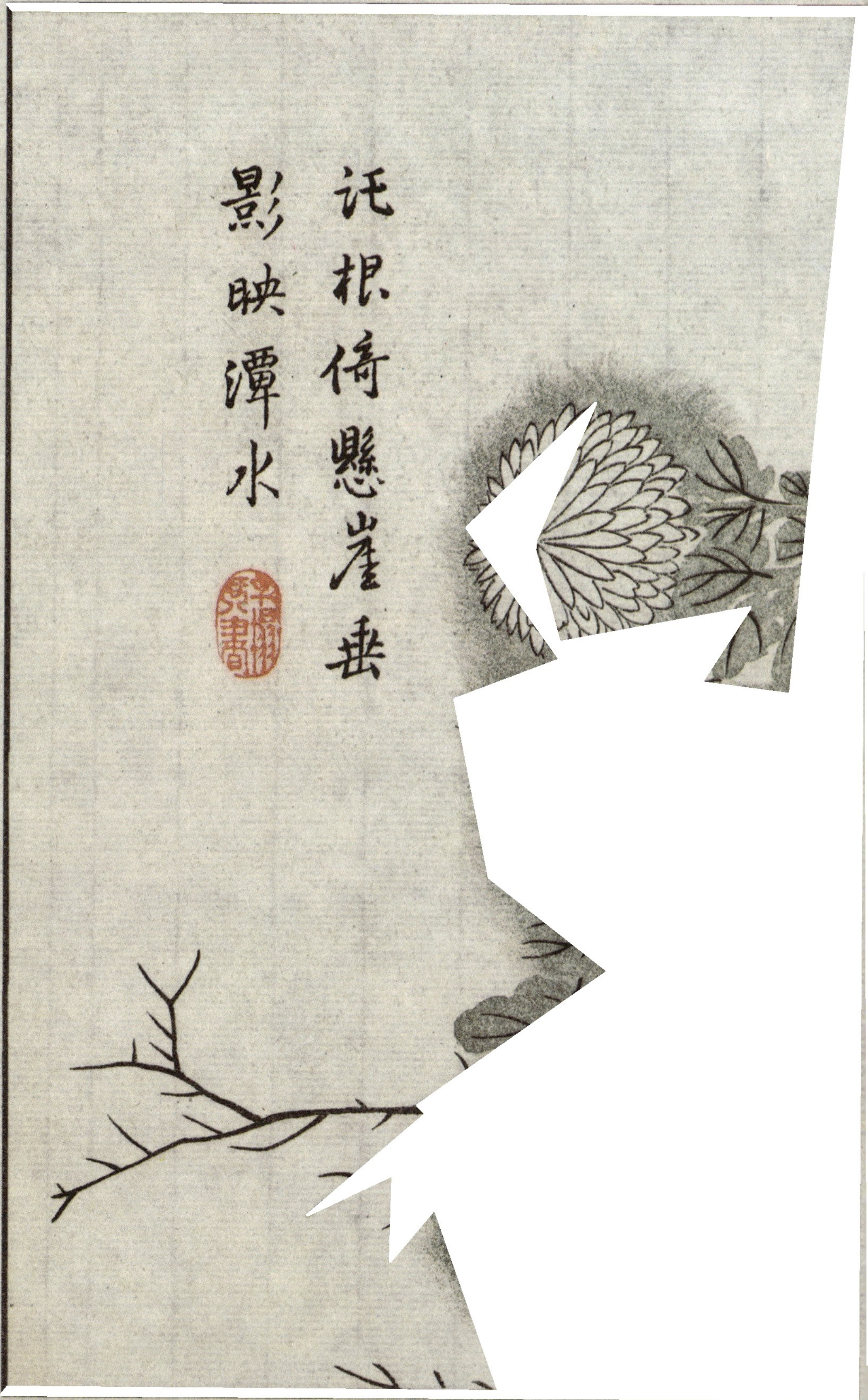
託根倚懸崖垂
影映潭水

中國傳世畫譜

芥子園畫譜 卷四 五七

芥子園畫譜 卷四 五八

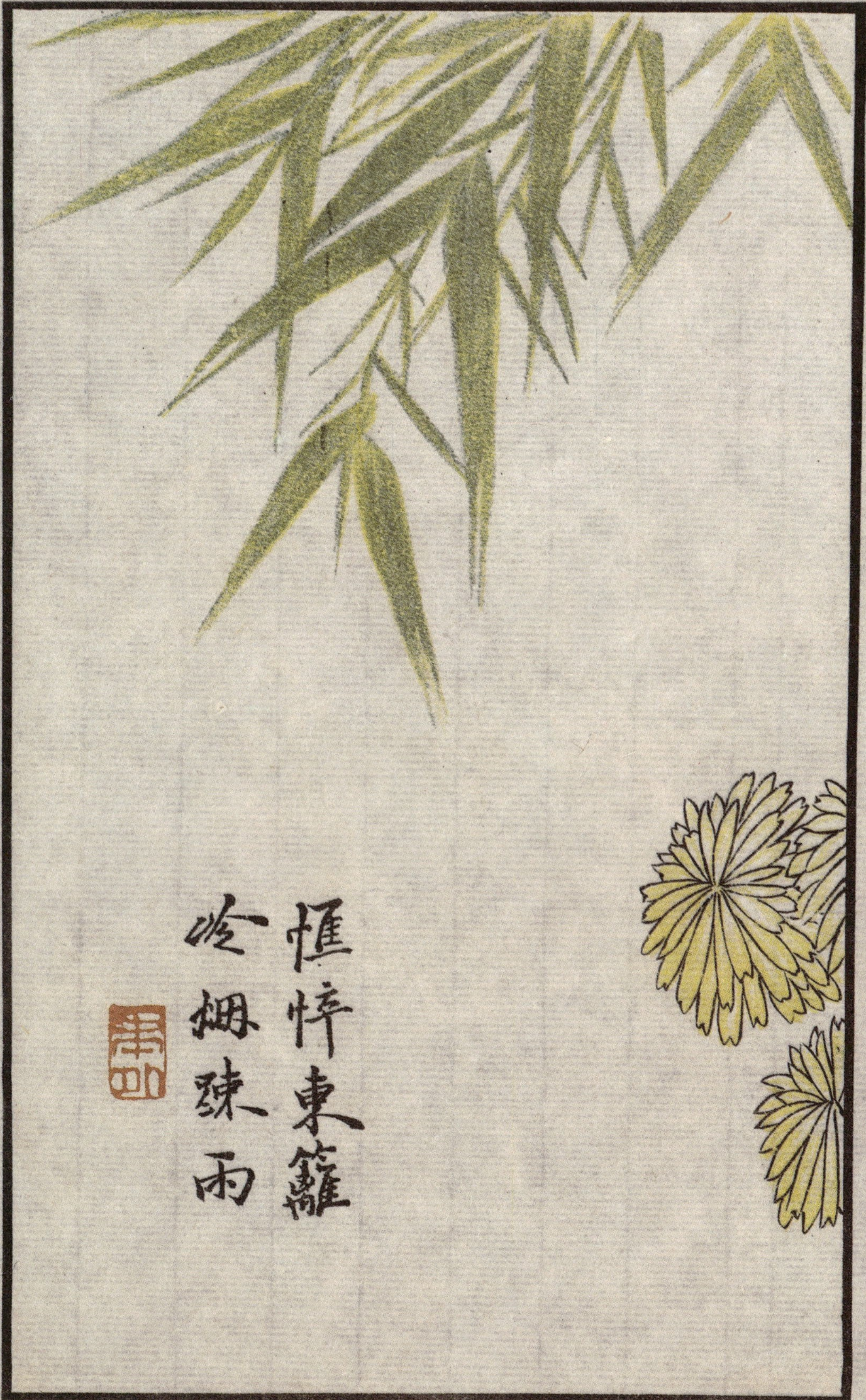

中國傳世畫譜

不羞老圃
秋容淡猶
有寒花晚
節香

似蓮名菊与花同
非粉非朱別樣紅

黄花標新節
遠自夏小正坤
崇有正色鞠
永示令名

翠葉雲布
黃蕋星羅

儀鳳舞
鸞飛英
散葉

中國傳世畫譜

芥子園畫譜
芥子園畫譜

卷四
卷四

七一
七二